EPITETO

A ARTE DE VIVER
(ENCHEIRIDION)

EPITETO

A ARTE DE VIVER
(ENCHEIRIDION)

**EDIÇÃO ESPECIAL COM PREFÁCIO DE
LÚCIA HELENA GALVÃO MAYA**

ENCONTRE MAIS
LIVROS COMO ESTE

Copyright da tradução e desta edição ©2021 por Fabio Kataoka

Título original: Encheirídion
Textos originais de domínio público. Reservados todos os direitos desta tradução e produção.

Direitos reservados e protegidos pela lei 9.610 de 19.2.1998.
Nenhuma parte deste livro pode ser reproduzida, arquivada em sistema de busca ou transmitida por qualquer meio, seja ele eletrônico, xérox, gravação ou outros, sem prévia autorização do detentor dos direitos, e não pode circular encadernada ou encapada de maneira distinta daquela em que foi publicada, ou sem que as mesmas condições sejam impostas aos compradores subsequentes.
2ª edição, 10ª Impressão 2024

Presidente: Paulo Roberto Houch
MTB 0083982/SP

Coordenação Editorial: Priscilla Sipans
Coordenação de Arte: Rubens Martim (capa)
Tradução: Fabio Kataoka
Preparação de texto: Leonan Mariano e Lilian Rozati

Vendas: Tel.: (11) 3393-7727 (comercial2@editoraonline.com.br)

Foi feito o depósito legal.
Impresso no Brasil

Dados Internacionais de Catalogação na Publicação (CIP)
(eDOC BRASIL, Belo Horizonte/MG)

E64a   Epicteto.
        A arte de viver / Epicteto. – Barueri, SP: Camelot, 2021.
        15,5 x 23 cm

        ISBN 978-65-87817-64-4

        1. Ética antiga. 2. Filosofia. 3. Conduta. I. Título.
                                                        CDD 188

Elaborado por Maurício Amormino Júnior – CRB6/2422

Direitos reservados ao
IBC — Instituto Brasileiro de Cultura LTDA
CNPJ 04.207.648/0001-94
Avenida Juruá, 762 — Alphaville Industrial
CEP. 06455-010 — Barueri/SP
www.editoraonline.com.br

SUMÁRIO

PREFÁCIO... 07

ENCHEIRIDION 11

PREFACE 45

ENCHIRIDION 49

PREFÁCIO

O Estoicismo é uma escola bastante particular e relevante, dentro daquilo que podemos chamar de "escolas morais". O Helenismo, que dissemina a anteriormente restrita e requintada cultura grega pelos quatro cantos do mundo então conhecido, o progressivo materialismo que afasta a Grécia das chamadas "instituições de mistérios", a decadência política e moral e outros fatores geraram condições para o aparecimento de escolas especificamente morais, que rejeitavam o meramente teórico para praticar um pensamento diretamente aplicado à vida, para iluminá-la de sentido e de método.

EPITETO

Nesse contexto, entre outros movimentos, surge o Estoicismo, os filósofos da Estoa ou pórtico. Sua estrita vida moral, seu ensinamento mediante o exemplo, sua indiferença aos fatores externos e concentração nas respostas humanas a estes fatores, definindo o humano como aquele que exerce sua razão e alinha-se com os propósitos do *logos* Cósmico e Divino, sua noção de ações corretas, aquelas tomadas por decisão consciente, em oposição às ações por dever, aquelas que resultam apenas da pressão das circunstâncias, seu critério de serenidade e felicidade, entre tantas outras noções próprias de seu doutrinário caracterizam uma escola moral exemplar, cuja influência transbordou para outras escolas e até mesmo para o seio do Cristianismo.

Segundo os estudiosos, esta escola pode ser dividida em três períodos, nos quais brilham oito nomes:

- A antiga Estoa, de Zenão de Cítio (fundador), Cleantes de Assos e Crisipo de Solos.

- A média Estoa, de Panécio de Rodes e Posidônio de Apameia.

- A nova Estoa, dos latinos Sêneca, Epiteto e Marco Aurélio.

A chegada do Estoicismo a Roma marca o encontro quase perfeito entre o caráter de um povo e uma filosofia que o representa. Prático por natureza, o homem romano culto faz do Estoicismo seu guia e sua crença fundamental. Da divisão original do Estoicismo em Ética, Lógica e Física, o Estoicismo Romano toma a Ética como seu principal interesse e a desenvolve, aproximando-a de um espírito devocional. Vários desdobramentos da vertente ética foram desenvolvidos pela obra de seus três grandes expoentes, obra esta que perdura até nossos dias.

Mas falemos do personagem que nos interessa: Epiteto, o filósofo escravo, que forma curiosa dualidade com Marco Aurélio, o filósofo imperador, sendo este último um declarado admirador do pensamento do primeiro. Nascido em Hierápolis, na Frígia (hoje Turquia, com ruínas próximas a Pamukkale) em torno de 50 a 60 d. C., Epiteto tornou-se, ainda escravo, assistente das aulas de Musônio Rufo, renomado estoico daquela ocasião, de cuja obra não nos restou nada.

Escravo de Epafrodito, este mesmo um ex-escravo liberto, sofreu nas mãos de seu amo, tendo-se tornado manco por conta de uma fratura em sua perna infringida dolosamente por aquele, segundo se conta, com a finalidade de humilhar o seu "orgulho de filósofo" e relembrá-lo de sua condição. Após liberto, foi expulso de Roma, junto a outros filósofos, pelo Édito de Domiciano, e fixa sua escola em Nicópolis, no Épiro (parte ocidental da atual Grécia, com ruínas a sete quilômetros ao norte da atual cidade de Preveza), onde ministra aulas até sua morte, até cerca de 138 d. C.

Jamais escreve nada; porém, nós contamos com a boa sorte de que, entre seus alunos nicopolitanos, houvesse um historiador, Flávio Arriano, que toma notas de aula e traz as mesmas a público com o nome de *Discursos* ou *Diatribes*. Posteriormente, seleciona as melhoras máximas e pensamentos dentre as *Diatribes* e gera um Manual, o *Encheiridion*[1]. É tudo o que conhecemos de nosso filósofo.

---

1 O Manual de Epiteto filósofo, ou Encheiridion é mostrado como um patrimônio do Ocidente pela sua simplicidade e praticidade ao demonstrar um modelo de vida factível para qualquer ser humano, sendo capaz de lhe garantir serenidade e felicidade.

EPITETO

Consta que, como acréscimo ao pensamento estoico, Epiteto insiste e esclarece a questão que trata das coisas que estão em nosso poder e as que não estão, pois são produto de circunstâncias alheias à nossa vontade. Estão sob nosso poder as reações a estas circunstâncias e os produtos de nossa vida interior, tais como opiniões, desejos, palavras, atos, inclinações e repulsões. Se, naquilo que depende de nós, estamos certos de nossa atitude coerente com o que se espera da natureza humana, nada que provém das circunstâncias alheias poderia nos abalar ou provocar sofrimento. Assim, a felicidade fundamentada na serenidade e no pleno domínio de si próprio seria algo que o homem poderia garantir a si mesmo por toda uma vida.

Lúcia Helena Galvão Maya
Palestrante, professora de filosofia,
escritora, roteirista e poetisa

ENCHEIRIDION

1

Existem coisas que estão em nosso poder e outras que estão além do que podemos. Em nosso poder está a opinião, o objetivo, o desejo, a aversão; em uma palavra, tudo o que esteja relacionado a nós mesmos. Além de nosso poder está o corpo, a propriedade, a reputação, o cargo, enfim, tudo o que não é propriamente nosso.

As coisas sob nosso poder são por natureza livres, irrestritas, desimpedidas; mas aquelas que estão além do nosso poder são fracas, dependentes, restritas, estranhas. Lembre-se, então, de que se você atribui liberdade às coisas que por sua natureza são dependentes e toma para si o que pertence aos outros, você será prejudicado, lamentará, ficará insatisfeito e encontrará culpa tanto nos deuses quanto nos homens. Mas se você tomar para si apenas o que é seu e ver o que pertence aos outros como realmente é, então ninguém jamais o obrigará, ninguém o restringirá; você não irá culpar ninguém, você não acusará ninguém, você não fará nada contra a sua vontade; ninguém o ferirá, você não terá inimigos e nem sofrerá nenhum dano.

Buscando coisas tão grandes, lembre-se de que você não deve se permitir nenhum desvio, por menor que seja, rumo às conquistas dos outros. Mas saiba que deve abandonar inteiramente algumas coisas e deixar outras para depois. Mas se você deseja isso, e também poder e riqueza, da mesma forma, poderá perder o último ao buscar o primeiro; e certamente falhará na forma única como a felicidade e a liberdade são obtidas.

EPITETO

Procure de imediato, portanto, ser capaz de dizer a tudo o que for imagem: "Você é apenas uma imagem e de forma alguma a coisa real." E então examine tudo pelas regras você já conhece; e primeiro e principalmente por isto: se se refere às coisas que estão em nosso próprio poder ou àquelas que não estão; e se se referir a algo além de nosso poder, esteja preparado para dizer que isto não é para você.

2

Lembre-se de que o desejo busca obter aquilo que você deseja; e a aversão exige evitar aquilo que lhe é aversivo; que aquele que falha em satisfazer seus desejos fica desapontado; e aquele que incorre no objeto de sua aversão é miserável. Se, então, você evita apenas as coisas indesejáveis, que você pode controlar, você nunca se deparará com nada desagradável; mas se você tentar evitar a doença, a morte ou a pobreza, correrá o risco de cair na miséria. Abandone o hábito da repulsa a todas as coisas que não estão em nosso poder, e aplique-o às coisas indesejáveis que estão em nosso poder.

Mas, por enquanto, reprima completamente o desejo; pois se você deseja alguma das coisas que não estão em nosso poder, você necessariamente ficará desapontado; e você ainda não está seguro daquelas que estão em nosso poder e, portanto, são naturais e objetos legítimos de desejo. Quando for absolutamente necessário que você busque ou evite alguma coisa, faça isso com discrição, gentileza e moderação.

3

Com relação a quaisquer objetos que deleitem a mente, de uso corriqueiro ou de grande estima, lembre-se de que natureza eles são, começando com as mais pequenas: se você tem uma xícara favorita, lembre-se de que é apenas uma xícara da qual você gosta – pois assim, se ela quebrar, você poderá suportar. Se você abraçar seu filho ou sua esposa, lembre-se de que você abraça um ser mortal e, portanto, se qualquer um deles morrer, você poderá suportar.

4

Quando você iniciar qualquer ação, lembre-se de qual é a natureza desta ação. Se você vai tomar banho[1], represente para si mesmo os incidentes usuais que podem acontecer durante o banho: algumas pessoas derramando a água, outras se empurrando, outras se repreendendo, outras roubando. Assim você fará esta ação com mais segurança se disser a si mesmo: "Agora irei tomar banho e manter minha própria vontade em harmonia com a natureza". E assim você deve fazer em relação a todas as outras ações. Pois, se surgir algum inconveniente no banho, você poderá dizer: "Não era só o banho que eu desejava, mas também manter a minha vontade em harmonia com a natureza; e não a manterei assim se estiver sem paciência com as coisas que acontecem."

---
1 Na Grécia antiga era comum a existência de casas de banho públicas onde as pessoas se reuniam para banhar-se, tomar sauna e conversar.

5

Os homens não se abalam com as coisas, mas com a percepção que têm das coisas. Assim, a morte não é terrível, do contrário teria parecido assim a Sócrates[2]. Mas o terror consiste em nossa noção de morte, que é terrível. Quando, portanto, somos frustrados, perturbados ou aflitos, nunca devemos imputar isso aos outros, mas a nós mesmos – isto é, à nossa própria percepção. É a ação de uma pessoa sem nenhuma instrução reprovar os outros por seus próprios infortúnios; de alguém que tem pouca instrução reprovar a si mesmo; e de um perfeitamente instruído não reprovar nem os outros nem a si mesmo.

6

Não se exalte com nenhuma excelência que não seja sua. Se um cavalo ficar envaidecido e disser: "Eu sou bonito", isso pode ser suportável. Mas quando você se envaidece e diz: "Eu tenho um belo cavalo", saiba que você se envaidece pelo mérito do cavalo. Então, qual é o seu mérito? É o uso dos fenômenos da existência, de modo que, quando você estiver em harmonia com a natureza a esse respeito, você ficará envaidecido por um bem seu.

---

2 Sócrates (470-399 a.C.), considerado o maior dentre os filósofos da Grécia Antiga, foi julgado e condenado à morte. Fez sua própria defesa perante o tribunal e terminou seu discurso dizendo: "É hora de irmos: eu para a morte, e vós para as vossas vidas. Mas quem terá a melhor sorte? Só os deuses sabem". Cumpriu sua sentença tomando cicuta, um planta extremamente venenosa.

7

Como em uma viagem, quando o navio está ancorado, se você for à praia buscar água, você pode se distrair pegando um marisco ou uma trufa no caminho, mas seus pensamentos devem estar voltados para o navio, e deve sempre estar alerta para quando o capitão chamar; então você deve deixar todas essas coisas, para que não tenha que ser levado a bordo do navio amarrado como uma ovelha. Assim também na vida, se, em vez de uma trufa ou marisco, uma esposa ou um filho for concedido a você, não há nenhum problema; mas se o capitão chamar, corra para o navio, deixe todas essas coisas e não olhe para trás. Mas se você for velho, nunca se afaste do navio, para que quando for chamado não seja dado como desaparecido.

8

Não exija que as coisas aconteçam como você deseja; mas deseje que aconteçam como devem acontecer, e você continuará bem.

9

A doença é um impedimento para o corpo, mas não para a vontade, a menos que ela própria o agrade. A claudicação é um impedimento para a perna, mas não para a vontade; diga isso a si mesmo em relação a tudo o que acontece. Você descobrirá que isso é um impedimento para outra coisa, mas não verdadeiramente para você mesmo.

10

A cada incidente, lembre-se de se voltar para si mesmo e pergunte-se qual aptidão possui para usar. Se você encontrar uma pessoa bonita, encontrará na continência a aptidão de que precisa; se dor, então fortaleza; se ofensa, então paciência. E quando assim habituado, os fenômenos da existência não irão dominá-lo.

11

Nunca diga sobre nada: "Eu o perdi", mas, "Eu o restituí." Seu filho morreu? Ele foi restituído. Sua esposa morreu? Ela foi restituída. Sua propriedade lhe foi tirada? Ela também foi restituída. "Mas foi um homem mau que a tomou." O que isso diz para você? Através dele, aquele que a deu a pediu de volta. Enquanto ele permitir que você o possua, mantenha-o como algo que não é seu, como fazem os viajantes em uma estalagem.

12

Se quiser melhorar, deixe de lado pensamentos como estes: "Se eu negligenciar meus negócios, não terei um sustento; se eu não punir meu servo, ele não servirá para nada". Pois é melhor morrer de fome, sem tristeza e medo, do que viver na fartura com perturbação; e é melhor que seu servo seja mau do que você infeliz.

Portanto, comece com pequenas coisas. Foi derramado um pouco de óleo ou foi roubado um pouco de vinho? Diga a si mesmo: "Este é o preço pago pela paz e tranquilidade; e nada é de graça." E quando você chamar o seu servo, considere que é possível que ele não possa atender o seu chamado; ou, se o fizer, talvez não faça o que você deseja. Mas não é desejável para ele, e muito indesejável para você, que esteja no poder dele causar em você qualquer distúrbio.

13

Se você deseja melhorar, contente-se em ser considerado tolo e obtuso em relação às coisas externas. Não deseje ser lembrado por saber alguma coisa; e ainda que seja alguém assim, desconfie de si mesmo. Com certeza, não é fácil manter sua vontade em harmonia com a natureza e preservar sua imagem exterior ao mesmo tempo; pois enquanto você está absorvido em um, necessariamente negligenciará o outro.

14

Se você deseja que seus filhos, sua esposa e seus amigos vivam para sempre, você é um tolo, pois deseja que estejam em seu poder coisas que não estão, e que o que pertence aos outros seja seu. Da mesma forma, se você deseja que seu servo não tenha falhas, você é um tolo, pois deseja que o vício não seja um vício, mas outra coisa. Mas se você deseja não se decepcionar com seus desejos, isso está em seu próprio poder. Exercite, portanto, o que está em seu poder. O mestre de um homem é aquele que lhe pode conferir ou remover tudo o que o homem procura ou evita. Quem então quiser ser livre, não deseje nada, não rejeite nada do que depende dos outros; caso contrário, será necessariamente um escravo.

15

Lembre-se de que você deve se comportar como num banquete. Se alguma coisa é trazida para você, estenda a mão e sirva-se moderadamente. Passou por você? Não interrompa. Ainda não chegou? Espere. Não anseie por isso, mas espere que chegue a você. O mesmo acontece com os filhos, a esposa, o escritório, as riquezas; e em algum momento você será digno de festejar com os deuses. E se você não tomar das coisas que estão diante de você, mas for capaz até mesmo de renunciar a elas, então você não apenas será digno de festejar com os deuses, mas de governar com eles também. Pois, assim fazendo, Diógenes[3] e Heráclito[4], e outros como eles, merecidamente, foram reconhecidos como divinos.

---

3 Diógenes de Sínope (412-323 a.C.), filósofo grego, também chamado Diógenes, o Cínico. Pregava a libertação de todo apego e posses como caminho para a felicidade.
4 Heráclito de Éfeso (540-470 a.C.), filósofo da Grécia Antiga. Considerado o pai da Dialética ensinava que o mundo é um eterno devir, nada "é", tudo está por "vir a ser", em movimento: "Não se banha duas vezes nas águas do mesmo rio" dizia ele, "pois o rio já é outro."

16

Quando vir alguém chorando de tristeza, seja por seu filho ter ido embora para o exterior ou por ter sofrido algum revés em seus negócios, tome cuidado para não se deixar vencer pelo mal aparente, mas pense e esteja pronto para dizer: "O que fere este homem não é a situação em si – pois outro homem pode não se deixar abater por isso – mas a visão que ele escolheu ter dela." No entanto, no que diz respeito à conversa, não se furte em confortá-lo com suas palavras e lhe dar atenção e, se necessário, lamentar com ele. Tome cuidado, no entanto, para não se abater interiormente.

17

Lembre-se de que você é um ator em um drama escolhido pelo Autor – se seu papel for curto, então será curto; se longo, assim será. Se ele quiser que você interprete um homem pobre, ou um aleijado, ou um governante, ou um cidadão comum, certifique-se de atuar bem, pois este deve ser o seu propósito: atuar bem no papel que lhe foi dado, mas escolher o papel cabe a outro.

18

Quando um corvo grasnar de modo infeliz, não seja dominado pelas aparências, mas pense e diga: "Nada é mau agouro para mim, seja para meu corpo insignificante, ou propriedade, ou reputação, ou filhos, ou esposa. Mas, para mim, todos os presságios são sorte, se assim eu quiser. Pois, aconteça o que acontecer, cabe a mim tirar vantagem disso."

19

Você pode ser invencível se não entrar em um combate que não esteja em seu próprio poder vencer. Quando, portanto, vir alguém eminente em honras ou poder, ou mais estimado que você por qualquer motivo, cuide para não se confundir com as aparências e achar que ele é feliz; pois se a essência do bem consiste nas coisas dentro de nosso próprio poder, não há espaço para a inveja ou rivalidades. Mas, de sua parte, não deseje ser general, ou senador, ou cônsul, mas deseje ser livre; e a única maneira de fazer isso é desconsiderar as coisas que não estão em nosso próprio poder.

20

Lembre-se de que quem afronta, insulta ou agride, não é a pessoa, mas sim a visão que temos desses atos como um insulto. Quando, portanto, alguém o provoca, fique certo de que é a sua própria opinião que o provoca. Tente, em primeiro lugar, não se deixar confundir com as aparências. Pois se você ganhar tempo e descanso, assim mais facilmente comandará a si mesmo.

21

Permita que a morte e o exílio, e todas as coisas que parecem terríveis, estejam diariamente diante de seus olhos, mas principalmente a morte; e você nunca terá um pensamento abjeto, nem cobiçará nada com demasiada avidez.

22

Se você tem uma busca sincera pela filosofia, prepare-se desde o início para o escárnio e zombaria da multidão, que dirá: "De repente ele virou filósofo"; e "De onde vem esse olhar arrogante?" De sua parte, não tenha um olhar arrogante, mas mantenha-se firme nas coisas que pareçam melhores para você, como alguém designado por Deus para esta posição particular. Pois lembre-se de que, se você for persistente, essas mesmas pessoas que a princípio o ridicularizaram depois o admirarão. Mas se você for vencido por eles, você irá suportar o ridículo duas vezes.

23

Se acontecer de você voltar sua atenção para coisas externas, para satisfazer qualquer pessoa, tenha certeza de que arruinará seu modo de viver. Contente-se, então, em tudo, em ser um filósofo; e se você deseja parecer igual a alguém, que seja a você mesmo e isso será suficiente.

24

Não deixe que pensamentos deste tipo o aflijam: "Viverei em desonra e não serei ninguém em parte alguma". Pois se a desonra é um mal, você não pode se envolver mais no mal – por meio de outra pessoa – do que na vergonha. Cabe a você ser poderoso ou ser convidado para um espetáculo? De jeito nenhum. Afinal, o que é essa desonra? E como é verdade que você não será ninguém em lugar nenhum quando deveria ser alguém apenas naquelas coisas que estão ao seu alcance, nas quais você é o mais importante? "Mas não poderei ajudar meus amigos." O que você quer dizer com "não poderá ajudar?" Eles não receberão dinheiro de você, nem você os tornará cidadãos romanos. Quem lhe disse, então, que isso está entre as coisas que estão ao nosso alcance, e que não são assuntos dos outros? E quem pode dar a outro o que ele mesmo não tem? "Obtenha poder e posses, para que nós também possamos ter um pouco." Se eu puder obtê-los preservando minha honra, fidelidade e respeito próprio, mostre-me o caminho e eu os obterei; mas se você quer que eu perca meu próprio bem, para que possa ganhar o que não é bom, considere quão irracional e tolo você é. Além disso, o que você prefere: uma quantia em dinheiro ou um amigo fiel e honrado? É melhor me ajudar, então, a ganhar esse caráter do que exigir que eu faça coisas pelas quais posso perdê-lo. "Bem, mas e a pátria," diga você, "no que depender de mim, ficará desassistida." Aqui, novamente, "que tipo de assistência que você está dizendo?" Não haverá pórticos nem casas de banho providos por você? E o que significa isso? Ora, nem o ferreiro fornece sapatos, nem o sapateiro armas. É suficiente que cada um execute plenamente suas próprias atividades. E você, se entregasse outro cidadão fiel e honrado ao país, ele não seria útil? Sim. Portanto, nem você mesmo é inútil para isso. "Como, então, devo proceder?" Faça tudo o que puder, mas preservando seu caráter e honra. Mas, se ao desejar obter isso, você os perde; então como poderá servir ao seu país quando se tornou infiel e desleal?

25

Alguém tem mais privilégios e honras que você em um banquete, socialmente ou uma conversa confidencial? Se essas coisas são boas, você deve se alegrar pela pessoa as possuir; e se elas são más, não se aflija por não as possuir. E lembre-se de que você não deve rivalizar com os outros nas coisas externas sem que use os mesmos meios para obtê-las. Pois como pode aquele que não busca ter uma parte igual em relação àquele que busca? Você estará sendo injusto e irracional se não está disposto a pagar o preço pelo qual essas coisas são vendidas, e as quer em troca de nada. Por quanto são vendidas as alfaces? Um óbolo[5], por exemplo. Se outro, então, pagando um óbolo, levar as alfaces, e você, não pagando, continuar sem elas, não pense que ele teve qualquer vantagem sobre você. Pois assim como ele tem as alfaces, você tem o óbolo que não deu. Portanto, no presente caso, você não foi convidado para o banquete de tal pessoa

---
5 Óbolo, moeda de pequeno valor da Grécia Antiga.

porque não pagou a ela o preço que ela cobra pela ceia oferecida. Ela o faz em troca de elogio e favorecimento. Dê a ela, então, o valor pedido se lhe for vantajoso. Mas se você ao mesmo tempo não quer pagar e ainda assim receber, estará sendo irracional e tolo. Será então, que você não terá nada, se não for ao banquete? Sim, terá e não precisará tecer elogios e cumprimentar aqueles de quem você não gosta; não terá que suportar a insolência dos bajuladores.

26

A vontade da natureza pode ser compreendida a partir das coisas com as quais todos concordamos. Como quando o filho do nosso vizinho quebra uma xícara, ou algo parecido, estamos prontos imediatamente para dizer: "Essas coisas acontecem"; tenha certeza, então, de que quando quebrar sua própria xícara, você seja afetado da mesma forma que quando a xícara do outro quebrou. Agora aplique isso a coisas maiores. O filho ou a esposa de alguém morreu? Não há ninguém que não dirá: "Este é um infortúnio natural". Mas se seu próprio filho morrer, imediatamente dirá: "Ai de mim! Como sou infeliz!" Devemos sempre lembrar de como somos afetados ao ouvir a mesma coisa a respeito de outras pessoas.

27

Assim como um alvo não é estabelecido para não ser acertado, também não existe a natureza do mal no mundo.

28

Se uma pessoa entregasse seu corpo a algum transeunte, você certamente ficaria com raiva. E você não sente vergonha de entregar seus pensamentos e sentidos a qualquer um que o insulte ou desagrade e deixar que lhe importunem e desconcertem?

29

Em cada ato, considere o que precede e o que se segue, e então, aja. Do contrário, você começará com vontade, sem se importar com as consequências, mas quando elas vierem, você desistirá vergonhosamente! "Eu quero vencer os jogos olímpicos." Considere o que precede e o que se segue, e então, se for vantajoso, aja. Você deve aceitar as regras, submeter-se a uma dieta, abster-se de guloseimas; exercitar seu corpo, escolha você ou não, em uma hora determinada, no calor ou no frio; você não deve beber água fria e, às vezes, vinho – em uma palavra, você deve se entregar ao treinador como a um médico. Aí, no treinamento, você pode cair em uma vala, deslocar o braço, torcer o tornozelo, engolir poeira em abundância, ser castigado por negligência e, depois de tudo, ainda não ser vitorioso. Depois de calcular tudo isso, se seu entusiasmo ainda se mantiver, comece o treinamento. Do contrário, observe que você se comportará como crianças que às vezes brincam de lutadores, às vezes de gladiadores, às vezes tocam trombeta e às vezes representam uma tragédia quando por acaso veem e admiram esses espetáculos. Assim, você também, uma vez será lutador, outra gladiador; ora filósofo, ora orador; mas nada a sério. Como um macaco, você imita tudo o que vê, e uma coisa após a outra com certeza vai agradá-lo, mas ficará em desvantagem assim que se torna familiar. Pois você nunca entrou em nada com consideração; nem depois de ter examinado todo o assunto; mas de forma descuidada e sem zelo. Assim, alguns quando viram um filósofo, como Eufrates, e o ouviram falar – Quem pode falar como ele? – desejaram ser filósofos também. Considere primeiro, qual é a sua natureza e o que és capaz de suportar. Se você deseja ser um lutador, considere seus ombros, suas costas, suas coxas; pois pessoas diferentes são feitas para coisas diferentes. Você acha que pode agir como age e ser um filósofo, que pode comer, beber, ficar com raiva, ficar descontente, como está agora? Você deve vigiar, você deve trabalhar, você deve tirar o melhor de certos apetites, deve deixar seus amigos, ser desprezado por seu servo, ser ridicularizado por aqueles que você encontra; sair pior do que os outros em tudo – nos cargos, nas honras, perante os tribunais. Depois de ter considerado todas essas coisas, aproxime-se, por favor, isto é, se, ao se separar delas, você ainda desejar adquirir serenidade, liberdade e tranquilidade. Do contrário, não venha para cá; não aja como as crianças: ora um filósofo, depois um publicano, depois um orador e depois um dos oficiais de César. Essas coisas não são consistentes. Você deve ser um homem, bom ou mau. Você deve cultivar sua própria razão ou as coisas exteriores; aplique-se às coisas de dentro ou de fora de você – isto é, seja um filósofo ou um membro da turba.

30

    Os deveres são universalmente medidos por relações. Um certo homem é seu pai? Nisso está implícito cuidar dele, submeter-se a ele em todas as coisas, receber pacientemente suas reprovações, sua correção. "Mas ele é um pai ruim". Então, sua ligação natural é com um *bom* pai? Não, mas com um pai. Um irmão é injusto? Bem, preserve sua relação justa com ele. Não considere o que *ele* faz, mas o que *você* deve fazer para manter sua própria vontade em um estado conforme a natureza, pois outra pessoa não pode machucá-lo a menos que você queira. Você só poderá ser ferido quando consentir ser ferido. Portanto, se você pensar e contemplar as relações de vizinho, cidadão, comandante, poderá deduzir de cada um os deveres correspondentes.

31

    Esteja certo de que a essência da piedade para com os deuses reside nisto: ter opiniões corretas a respeito deles, como existentes e governando o universo com justiça e bem. E fixe-se nesta resolução: obedecê-los e ceder a eles, e voluntariamente segui-los em meio a todos os eventos, como sendo governado pela sabedoria mais perfeita. Pois assim você nunca encontrará defeito nos deuses, nem os acusará de negligenciar você. E não é possível obter isso senão afastando-se das coisas que não estão em nosso próprio poder e fazendo com que o bem ou o mal consistam apenas nas coisas que estão em nosso poder. Pois se você supõe que qualquer outra coisa seja boa ou má, é inevitável que, quando você estiver desapontado com o que deseja ou incorrer no que deseja evitar, reprove e culpe seus autores. Pois toda criatura é formada naturalmente para fugir e abominar as coisas que parecem prejudiciais e suas causas; e perseguir e admirar aquelas que parecem benéficas e o que as causa. É impraticável, então, que aquele que se supõe ferido se regozije com a pessoa que, como ele pensa, o fere, assim como é impossível que se alegre com a dor em si. Consequentemente, também, um pai é desrespeitado por seu filho quando ele não divide as coisas que ao filho parecem ser boas; e isso tornava Polinices e Eteocles[6] inimigos mútuos – aquele império parecia bom para ambos. Por causa disso, o lavrador, também o marinheiro, o comerciante ou aqueles que perderam esposa ou filho injuriam os deuses. Pois onde está o nosso interesse, aí também se dirige a piedade. De forma que, quem quer que seja cuidadoso em regular seus desejos e aversões como deve, também se preocupa com a piedade. Mas também se torna incumbência de todos oferecer libações, sacrifícios e primícias, de acordo com os costumes de seu país, de forma pura, e não com negligência ou orgulho, avareza, ou ainda com extravagância.

32

Quando você recorrer à adivinhação, lembre-se de que você não sabe qual será o acontecimento que você tomará

---

[6] Polinices e Eteocles são irmãos – personagens míticos na trágica peça teatral grega "Antígona", escrita por Sófocles – que matam um ao outro na disputa pelo trono imperial.

conhecimento com o adivinho; mas qual a natureza dele, você saberá o que está por vir se você tiver uma mente filosófica. Pois se está entre as coisas que não estão em nosso próprio poder, de maneira alguma pode ser bom ou mau. Portanto, não traga consigo ao adivinho o desejo ou a aversão – do contrário, você se aproximará dele tremendo – mas primeiro compreenda claramente que todo evento é indiferente e nada é para *você*, seja qual for o tipo; pois estará em seu poder fazer um uso correto dele, disso ninguém pode impedi-lo. Então venha com confiança aos deuses como seus conselheiros; e depois, quando qualquer conselho for dado a você, lembre-se dos conselheiros que assumiu e cujo conselho negligenciará se desobedecer. Vá para a adivinhação como Sócrates prescreveu, nos casos em que toda ação e pensamento se relacionam com o evento, e onde nenhuma oportunidade é oferecida pela razão ou qualquer outra arte para clarear o assunto em vista. Quando, portanto, é nosso dever compartilhar o perigo de um amigo ou de nosso país, não devemos consultar o oráculo para saber se devemos compartilhá-lo com eles ou não. Pois, embora o adivinho deva avisá-lo de que os auspícios são desfavoráveis, isso não significa nada mais do que o presságio da morte, da mutilação ou do exílio. Mas, a razão dentro de nós nos orienta, mesmo com esses riscos, a apoiar nosso amigo e nosso país. Atenda, portanto, ao adivinho maior, Apolo, que uma vez expulsou do templo aquele que negligenciou salvar seu amigo.

33

Comece prescrevendo a si mesmo algum comportamento e valor que você possa preservar tanto sozinho quanto em companhia de outros.

Fique em silêncio ou fale apenas o que for necessário e em poucas palavras. Podemos, entretanto, falar com moderação quando a ocasião o exigir; mas que não se refira a nenhum dos assuntos comuns, como gladiadores, corridas de cavalos, campeões de atletismo, comida ou bebida – os tópicos vulgares da conversa – e especialmente não fale sobre os homens, para culpar, elogiar ou fazer comparações. Se você puder, traga a conversa para assuntos apropriados; mas se acontecer de você se encontrar entre estranhos, fique em silêncio.

Não deixe seu riso ser alto, frequente ou abundante.

Evite fazer juramentos, se possível, não o faça, na medida em que você for capaz.

Evite entretenimentos públicos e vulgares; mas se uma ocasião o chamar para eles, mantenha sua atenção, para que você não caia imperceptivelmente na vulgaridade. Tenha certeza de que se uma pessoa, ainda que pura, se seu companheiro for impuro, aquele que conversa com ele será impuro da mesma forma.

Não dê ao corpo nada além do que a necessidade requer, como comida, bebida, roupas, casa, séquito. Mas elimine tudo que vise ostentação e luxo.

Antes do casamento, evite com toda força ter relações sexuais ilegais; contudo, não seja indelicado ou severo com aqueles que são levados a isso, nem se vanglorie de agir de outra forma.

Se lhe disserem que alguém fala mal de você, não se desculpe pelo que lhe dizem, mas responda: "Ele ignora meus outros defeitos, do contrário não teria mencionado apenas estes".

Não é necessário que você compareça com frequência em eventos públicos; mas se alguma vez for adequado você estar lá, não pareça preocupado com ninguém além de você mesmo – isto é, deseje que as coisas aconteçam como tiverem que acontecer, e que vença o vencedor; assim nada será contra você. Mas abstenha-se inteiramente de aclamações, escárnio e emoções violentas. E quando você voltar, não discuta muito sobre o que se passou e o que não contribui em nada para seu próprio progresso. Pois irias parecer deslumbrado com o espetáculo.

Não se prontifique, nem se apresse em assistir a recitações privadas; mas, se comparecer, preserve sua gravidade e dignidade e, mesmo assim, evite ser desagradável.

Quando for conferenciar com alguém, especialmente com alguém que pareça seu superior, imagine como Sócrates ou Zenão[7] se comportariam em tal caso, e você não ficará perplexo para enfrentar adequadamente o que vier a acontecer.

Quando você for até alguém poderoso, pense que você poderá não o encontrar em casa, que você pode ser excluído, que talvez as portas não se abram para você, que ele pode não lhe dar atenção. Se, ainda assim, é seu dever ir, suporta o que acontecer

---

[7] Zenão (504 - 425 a.C.), filósofo grego que usava de paradoxos para defender suas ideias, deixando ao antagonista, como única saída, concordar com o exposto.

e nunca diga a si mesmo: "Não valeu tanto"; pois isso é vulgar, é como um homem confuso por coisas externas.

Quando na companhia de outros, evite mencionar excessivamente suas próprias ações e dificuldades. Pois, por mais agradável que seja para você mesmo aludir às situações difíceis que passou, não é igualmente agradável para os outros ouvir suas aventuras. Evite igualmente o esforço de provocar o riso, pois isso pode facilmente levá-lo à vulgaridade e, além disso, pode rebaixá-lo na estima de seu conhecido. As abordagens ao discurso indecente são igualmente perigosas. Portanto, quando algo assim acontecer, aproveite a primeira oportunidade para repreender aquele que avança dessa forma, seja pelo silêncio, pelo enrubescimento ou um olhar sério, mostre-se desagradado com tal conversa.

34

Se ficar deslumbrado com a representação de algum prazer, evite ser tomado por ele; deixe o assunto esperar por você, aquiete o seu ímpeto. Em seguida, traga à sua mente os dois momentos – aquele em que você desfrutará do prazer, e aquele em que você se arrependerá e se reprovará, depois de tê-lo desfrutado – e coloque diante de você, em oposição a estes, como você se regozijará ao se abster e elogie a si mesmo. E mesmo que pareça a você uma gratificação oportuna, tome cuidado para que suas tentações e seduções não possam subjugá-lo, mas se oponha a isso pensando em como é muito melhor estar consciente de obter uma vitória tão grande.

35

Quando você faz qualquer coisa com a clareza de que deve ser feito, nunca se esquive de ser visto fazendo isso, mesmo que o mundo não entenda; se você não estiver agindo corretamente, evite fazer; se você está, por que temer aqueles que injustamente o censuram?

36

Como a proposição "é dia ou é noite" tem muita força em um argumento disjuntivo, mas nenhuma em uma argumentação conjuntiva, então, em um banquete, escolher a parte maior das iguarias é adequado ao apetite corporal, mas totalmente indevido para o espírito social do banquete. Então lembre-se quando você comer em companhia de outra pessoa, não apenas do valor para o corpo dos pratos colocados diante de você, mas também o valor da cortesia adequada para com seu anfitrião.

37

Se você assumir qualquer papel além de suas forças, você tanto se perderá quanto abandonará o que poderia ter feito bem.

38

Assim como ao caminhar, você toma cuidado para não pisar em um prego ou virar o pé, da mesma forma tome cuidado para não ferir a faculdade que governa sua mente. Tome precauções contra isso a cada ação, para que possas atuar com mais segurança.

39

O corpo é para todos a medida adequada de seus bens, como o pé é do sapato. Se, portanto, você parar nisso, manterá a medida; mas se você for além disso, será levado adiante rumo a um precipício; como no caso de um sapato, se você for além de sua adequação ao pé, ele será primeiro dourado, depois púrpura e, então, cravejado de joias, pois, uma vez que exceda a medida de ajuste, não haverá limites.

40

Mulheres a partir dos quatorze anos são lisonjeadas pelos homens com o título de senhora. Portanto, percebendo que são consideradas apenas como qualificadas para dar prazer aos homens, elas começam a se enfeitar e nisso depositar todas as suas esperanças. É importante cuidar para que elas se sintam honradas apenas na medida em que sejam belas em seu comportamento e caráter.

41

É um sinal de falta de intelecto gastar muito tempo em coisas relacionadas ao corpo, ser desmedido em exercícios, em comer e beber e no desempenho de outras funções animais. Essas coisas devem ser feitas incidentalmente e nossa principal força deve ser aplicada à nossa razão.

42

Quando alguém fizer mal a você ou falar mal de você, lembre-se de que ele age ou fala com a impressão de que é certo fazê-lo. Agora não é possível que ele siga o que parece certo para você, mas apenas o que parece certo para ele mesmo. Portanto, se ele julga por falsas aparências, é ele que se fere, pois é ele a pessoa enganada. Pois se alguém considera que uma proposição verdadeira é falsa, a proposição não sofre dano, mas apenas aquele que se engana. Partindo, então, desses princípios, você suportará humildemente a injúria de alguém, pois você dirá em todas as ocasiões: "Assim pareceu a ele".

43

Tudo tem dois lados: um pelo qual pode ser suportado, outro pelo qual não pode. Se seu irmão agir injustamente, não se prenda ao caso por sua injustiça, pois por este lado lhe será insuportável, mas se pensar e considerar que ele é seu irmão, que foi criado com você, poderá suportá-lo.

44

Estes pensamentos não têm nenhuma lógica: "Eu sou mais rico do que você, portanto, sou seu superior." "Eu sou mais eloquente do que você, portanto sou seu superior." A verdadeira lógica é esta: "Eu sou mais rico do que você, portanto, minhas posses devem exceder as suas." "Sou mais eloquente do que você, portanto minha eloquência deve superar a sua." Mas você, afinal, não consiste em propriedades e eloquência.

45

Alguém toma banho apressadamente? Não diga que ele o faz errado, mas às pressas. Alguém bebe muito vinho? Não diga que ele está doente, mas que bebe muito. Pois, a menos que você entenda perfeitamente seus motivos, como saberá se ele age mal? Assim, você não correrá o risco de ceder a quaisquer aparências, mas àquelas que você compreende totalmente.

46

Nunca se proclame um filósofo, nem fale muito entre os ignorantes sobre seus princípios, mas mostre-os por meio de ações. Assim, em um banquete, não discuta como as pessoas devem comer, mas coma como se deve. Lembre-se de que Sócrates também evitou toda forma de ostentação. E quando as pessoas vinham a ele e desejavam ser apresentadas por ele aos filósofos, ele o fazia; quão bem ele suportou o desdém! Portanto, se alguma vez houver entre os ignorantes qualquer discussão de princípios, cale-se na maior parte do tempo. Pois há grande perigo em jogar fora apressadamente o que não foi digerido. E se alguém lhe disser que você não sabe de nada e você não ficar irritado com isso, pode ter certeza de que realmente iniciou o trabalho sobre si mesmo. Pois as ovelhas não se lançam a relva apressadamente para mostrar aos pastores quanto comeram, mas, digerindo interiormente a comida, a transformam exteriormente em lã e leite. Assim, portanto, você não faz uma exibição de seus princípios filosóficos diante dos ignorantes, mas após digeri-los, mostra as ações.

47

Quando você aprender a nutrir seu corpo frugalmente, não se torne altivo; nem se você beber água, diga em todas as ocasiões: "Eu bebo água". Mas primeiro considere como os pobres são muito mais frugais do que nós, e tanto mais pacientes com as dificuldades. Se a qualquer momento você se habituar ao trabalho e à privação através do exercício, para o seu próprio bem e não para mostrar aos outros, não tente grandes feitos; mas quando você estiver com muita sede, apenas enxágue a boca com água e não diga a ninguém.

EPITETO

48

A condição e característica de uma pessoa vulgar é que ela nunca espera ajuda ou dano de si mesma, mas apenas do exterior. A condição e a característica de um filósofo é a de que ele olha para si mesmo em busca de ajuda ou à espera de dano.

As características de alguém proficiente são que ele não censura ninguém, não elogia ninguém, não culpa ninguém, não acusa ninguém; não diz nada a respeito de si mesmo como sendo alguém ou sabendo alguma coisa. Quando ele é impedido ou restringido, ele acusa a si mesmo; e se ele é elogiado, ele se ri de quem o elogia; e se ele é censurado, não faz nenhuma defesa. Mas ele anda com a cautela de um convalescente, cuidadoso para não prejudicar a parte que está indo bem, mas ainda não recuperado totalmente. Ele restringe o desejo; transfere sua aversão apenas àquelas coisas que impedem o uso adequado de nossa própria vontade; ele emprega suas energias moderadamente em todas as direções; se ele parece estúpido ou ignorante, ele não se importa; e, em uma palavra, ele vigia a si mesmo como a um inimigo pronto para lhe emboscar.

49

Quando alguém se mostrar vaidoso por ser capaz de compreender e interpretar as obras de Crisipo[8], diga a si mesmo: "A menos que Crisipo tivesse escrito de maneira obscura, ele não teria

---

[8] Crisipo (281-208 a.C.), filósofo grego expoente do Estoicismo, defende a libertação das paixões para encontrar a felicidade.

nada do que se envaidecer. Mas o que eu desejo? Para compreender a natureza e segui-la, eu me pergunto, quem a interpreta; e ouvindo que é Crisipo quem interpreta, eu recorro a ele. Mas, eu não entendo seus escritos. Eu procuro, então, alguém para *explicá-los*." Até agora não há nada por que me vangloriar. E quando encontro um intérprete, resta fazer uso de suas instruções. Isso já é valioso. Mas se admiro apenas a interpretação, me torno um gramático em vez de um filósofo, exceto pelo fato de que em vez de Homero eu interpreto Crisipo? Quando alguém, portanto, deseja que eu interprete Crisipo para ele, ficarei envergonhado se não puder exibir ações que sejam adequadas e consoantes com seu discurso.

50

Seja quais forem as regras que você tenha adotado, siga-as como leis e como se fosse ímpio transgredi-las; e não leve em consideração o que dizem de você, pois isso, afinal, não é da sua conta. Quanto tempo, então, você demorará para exigir de si mesmo o melhor, o mais nobre, e em nenhuma instância transgredir os julgamentos da razão? Você recebeu os princípios filosóficos com os quais deve estar familiarizado; e você está familiarizado com eles. Que outro mestre, então, você espera? E usa isso como desculpa para atrasar seu autoconhecimento? Você não é mais um menino, mas um homem adulto. Se, portanto, você for negligente e preguiçoso, e sempre adicionar procrastinação a procrastinação, propósito a propósito, e não se fixar dia após dia em cuidar de si mesmo, continuará a não realizar nada e, vivendo e morrendo, permanecerá de mente vulgar. A partir deste momento, então, considere-se digno de viver como um homem adulto e proficiente. Que tudo o que parece ser o melhor seja para você uma lei inviolável. E se alguma instância de dor ou prazer, glória ou desgraça, for colocada diante de você, lembre-se de que o combate é agora, é a Olimpíada começa e não pode ser adiada; e que por uma falha ou derrota a honra pode ser perdida ou ganha. Assim, Sócrates se tornou perfeito, aperfeiçoando-se em tudo, seguindo apenas a razão. E embora você ainda não seja um Sócrates, você deve, entretanto, viver como alguém que busca ser um Sócrates.

51

O primeiro e mais importante tópico em filosofia é a aplicação prática de princípios, como: "Não devemos mentir". A segunda é a de demonstrações como: "Por que é que não devemos mentir?" A terceira é aquela que dá força e lógica às outras duas: "Por que isso é uma demonstração?" Mas o que é uma demonstração? O que é uma consequência? O que é contradição? O que é verdade? O que é falsidade? O terceiro ponto é então necessário por causa do segundo; e o segundo por conta do primeiro. Mas o mais necessário, e sobre o qual devemos nos demorar, é o primeiro. Mas fazemos exatamente o contrário, pois gastamos todo o nosso tempo no terceiro ponto e empregamos toda a nossa diligência sobre ele, e negligenciamos totalmente o primeiro. Portanto, ao mesmo tempo em que mentimos, estamos prontos para demonstrar que mentir é errado.

Não fuja ao seu destino.

Em todas as ocasiões, devemos ter estas máximas à mão:

Conduza-me, Zeus, e tu, ó Destino, onde quer que seus decretos fixem minha sorte.

Eu sigo com alegria;

E, ainda que mal e miserável, ainda o seguirei.

Quem cede adequadamente ao destino é considerado sábio entre os homens e conhecedor das leis do céu.

E essa terceira:

"Ó Critão, se isso agrada aos deuses, deixe que assim seja."

"Anitto e Meleto podem me matar, mas nunca conseguirão me ferir."

PREFACE

Stoicism is a very particular and relevant school, within what we can call "moral schools". Hellenism, which spread the previously restricted and refined Greek culture anywhere in the then-known world, the progressive materialism that distanced Greece from the so-called "mystery institutions", political and moral decadence and other factors generated conditions for the appearance of specifically moral schools, which rejected the merely theoretical to practice a thought directly applied to life, to illuminate it in sense and method.

In this context, among other movements, arises Stoicism, the philosophers of the Stoa or portico. Their strict moral life, their teaching by example, their indifference to external factors and concentration on human responses to these factors, defining the human as one who exercises their reason and aligns themselves with the purposes of the Cosmic and Divine *logos*, their notion of correct actions, those taken by conscious decision, as opposed to actions out of duty, those that result only from the pressure of circumstances, their criterion of serenity and happiness, among many of their notions of doctrinal characterize an exemplary moral school, whose influence overflowed to other schools and even into the bosom of Christianity.

According to scholars, this school can be divided into three periods, in which eight names shine:

— Ancient Stoa, by Zeno of Citium (founder), Cleanthes of Assos and Chrysippus of Solos.

— The middle Stoa, of Panaetius of Rhodes and Posidonius of Apamea.

— The new Stoa, by the latins Seneca, Epictetus and Marcus Aurelius.

The arrival of Stoicism in Rome marks the almost perfect meeting between the character of a people and a philosophy that represents it. Practical by nature, the cultured Roman man makes Stoicism his guide and fundamental belief. From the original division of Stoicism into Ethics, Logic and Physics, Roman Stoicism takes Ethics as its main interest and develops it, bringing it closer to a devotional spirit. Several developments of the ethical aspect were developed by the work of its three great exponents, a work that lasts until today.

But let's talk about the character that interests us: Epictetus, the slave philosopher, who forms a curious duality with Marcus Aurelius, the emperor philosopher, the latter being a declared admirer of the former's thought. Born in Hierapolis, in Phrygia (present-day Turkey, with ruins close to Pamukkale) circa 50 to 60 AD, Epictetus became, while still a slave, assistant to the classes of Musonius Rufus, a renowned stoic at that time, whose work remained nothing to us.

As a slave of Epaphroditus, himself a former freed slave, suffered at the hands of his master, having become lame due to a fracture in his leg intentionally inflicted by him, as it is said, with the purpose of humiliating his "philosopher pride" and reminding him of his condition. After being freed, he was expelled from Rome, along with other philosophers, by the Edict of Domitian, and set his school in Nicopolis, in Epirus (western part of present-day Greece, with ruins seven kilometers north of the current city of Preveza), where he lectured classes until his death, until about A.D. 138.

He never writes anything; however, we had the good fortune that, among his Nicopolitan students, there was a historian, Flavius Arrianus, who takes lecture notes and publishes them under the name of *Discourses* or *Diatribes*. Later, he selects the maximum improvements and thoughts among the *Diatribes* and generates a Manual, the *Enchiridion*. It is all we know of our philosopher.

It is said that, as an addition to Stoic thought, Epictetus insists and clarifies the question that deals with the things that are in our power and those that are not, as they are the product of circumstances beyond our control. In our power are the reactions to these circumstances and the products of our inner life, such as opinions, desires, words, acts, inclinations and repulsions. If, in what depends on us, we are sure of our consistent attitude with what is expected of human nature, nothing that comes from the circumstances of others could shake us or cause suffering. Thus, happiness based on serenity and full control of oneself would be something that man could guarantee himself for a lifetime.

Lúcia Helena Galvão Maya
Lecturer, philosophy teacher,
writer, screenwriter and poet.

I

There are things which are within our power, and there are things which are beyond our power. Within our power are opinion, aim, desire, aversion, and, in one word, whatever affairs are our own. Beyond our power are body, property, reputation, office, and, in one word, whatever are not properly our own affairs.

Now the things within our power are by nature free, unrestricted, unhindered; but those beyond our power are weak, dependent, restricted, alien. Remember, then, that if you attribute freedom to things by nature dependent and take what belongs to others for your own, you will be hindered, you will lament, you will be disturbed, you will find fault both with gods and men. But if you take for your own only that which is your own and view what belongs to others just as it really is, then no one will ever compel you, no one will restrict you; you will find fault with no one, you will accuse no one, you will do nothing against your will; no one will hurt you, you will not have an enemy, nor will you suffer any harm.

Aiming, therefore, at such great things, remember that you must not allow yourself any inclination, however slight, toward the attainment of the others; but that you must entirely quit some of them, and for the present postpone the rest. But if you would have these, and possess power and wealth likewise, you may miss the latter in seeking the former; and you will certainly fail of that by which alone happiness and freedom are procured.

Seek at once, therefore, to be able to say to every unpleasing semblance, "You are but a semblance and by no means the real thing." And then examine it by those rules which you have; and first and chiefly by this: whether it concerns the things which are within our own power or those which are not; and if it concerns anything beyond our power, be prepared to say that it is nothing to you.

II

Remember that desire demands the attainment of that of which you are desirous; and aversion demands the avoidance of that to which you are averse; that he who fails of the object of his desires is disappointed; and he who incurs the object of his aversion is wretched. If, then, you shun only those undesirable things which you can control, you will never incur anything which you shun; but if you shun sickness, or death, or poverty, you will run the risk of wretchedness. Remove [the habit of] aversion, then, from all things that are not within our power, and apply it to things undesirable which are within our power. But for the present, altogether restrain desire; for if you desire any of the things not within our own power, you must necessarily be disappointed; and you are not yet secure of those which are within our power, and so are legitimate objects of desire. Where it is practically necessary for you to pursue or avoid anything, do even this with discretion and gentleness and moderation.

III

With regard to whatever objects either delight the mind or contribute to use or are tenderly beloved, remind yourself of what nature they are, beginning with the merest trifles: if you have a favorite cup, that it is but a cup of which you are fond of—for thus, if it is broken, you can bear it; if you embrace your child or your wife, that you embrace a mortal—and thus, if either of them dies, you can bear it.

IV

When you set about any action, remind yourself of what nature the action is. If you are going to bathe, represent to yourself the incidents usual in the bath—some persons pouring out, others pushing in, others scolding, others pilfering. And thus you will more safely go about this action if you say to yourself, "I will now go to bathe and keep my own will in harmony with nature." And so with regard to every other action. For thus, if any impediment arises in bathing, you will be able to say, "It was not only to bathe that I desired, but to keep my will in harmony with nature; and I shall not keep it thus if I am out of humor at things that happen."

V

Men are disturbed not by things, but by the views which they take of things. Thus death is nothing terrible, else it would have appeared so to Socrates. But the terror consists in our notion of death, that it is terrible. When, therefore, we are hindered or disturbed, or grieved, let us never impute it to others, but to ourselves—that is, to our own views. It is the action of an uninstructed person to reproach others for his own misfortunes; of one entering upon instruction, to reproach himself; and one perfectly instructed, to reproach neither others nor himself.

VI

Be not elated at any excellence not your own. If a horse should be elated, and say, "I am handsome," it might be endurable. But when you are elated and say, "I have a handsome horse," know that you are elated only on the merit of the horse. What then is your own? The use of the phenomena of existence. So that when you are in harmony with nature in this respect, you will be elated with some reason; for you will be elated at some good of your own.

VII

As in a voyage, when the ship is at anchor, if you go on shore to get water, you may amuse yourself with picking up a shellfish or a truffle in your way, but your thoughts ought to be bent toward the ship, and perpetually attentive, lest the captain should call, and then you must leave all these things, that you may not have to be carried on board the vessel, bound like a sheep; thus likewise in life, if, instead of a truffle or shellfish, such a thing as a wife or a child be granted you, there is no objection; but if the captain calls, run to the ship, leave all these things, and never look behind. But if you are old, never go far from the ship, lest you should be missing when called for.

VIII

Demand not that events should happen as you wish; but wish them to happen as they do happen, and you will go on well.

IX

Sickness is an impediment to the body, but not to the will unless itself pleases. Lameness is an impediment to the leg, but not to the will; and say this to yourself with regard to everything that happens. For you will find it to be an impediment to something else, but not truly to yourself

X

Upon every accident, remember to turn toward yourself and inquire what faculty you have for its use. If you encounter a handsome person, you will find continence the faculty needed; if pain, then fortitude; if reviling, then patience. And when thus habituated, the phenomena of existence will not overwhelm you.

XI

Never say of anything, "I have lost it," but, "I have restored it." Has your child died? It is restored. Has your wife died? She is restored. Has your estate been taken away? That likewise is restored. "But it was a bad man who took it." What is it to you by whose hands he who gave it has demanded it again? While he permits you to possess it, hold it as something not your own, as do travelers at an inn.

XII

If you would improve, lay aside such reasonings as these: "If I neglect my affairs, I shall not have a maintenance; if I do not punish my servant, he will be good for nothing." For it were better to die of hunger, exempt from grief and fear, than to live in affluence with perturbation; and it is better that your servant should be bad than you unhappy.

Begin therefore with little things. Is a little oil spilled or a little wine stolen? Say to yourself, "This is the price paid for peace and tranquillity; and nothing is to be had for nothing." And when you call your servant, consider that it is possible he may not come at your call; or, if he does, that he may not do what you wish. But it is not at all desirable for him, and very undesirable for you, that it should be in his power to cause you any disturbance.

XIII

If you would improve, be content to be thought foolish and dull with regard to externals. Do not desire to be thought to know anything; and though you should appear to others to be somebody, distrust yourself. For be assured, it is not easy at once to keep your will in harmony with nature and to secure externals; but while you are absorbed in the one, you must of necessity neglect the other.

XIV

If you wish your children and your wife and your friends to live forever, you are foolish, for you wish things to be in your power which are not so, and what belongs to others to be your own. So likewise, if you wish your servant to be without fault, you are foolish, for you wish vice not to be vice but something else. But if you wish not to be disappointed in your desires, that is in your own power. Exercise, therefore, what is in your power. A man's master is he who is able to confer or remove whatever that man seeks or shuns. Whoever then would be free, let him wish nothing, let him decline nothing, which depends on others; else he must necessarily be a slave.

XV

Remember that you must behave as at a banquet. Is anything brought round to you? Put out your hand and take a moderate share. Does it pass by you? Do not stop it. Is it not yet come? Do not yearn in desire toward it, but wait till it reaches you. So with regard to children, wife, office, riches; and you will some time or other be worthy to feast with the gods. And if you do not so much as take the things which are set before you, but are able even to forego them, then you will not only be worthy to feast with the gods, but to rule with them also. For, by thus doing, Diogenes and Heraclitus, and others like them, deservedly became divine, and were so recognized.

XVI

When you see anyone weeping for grief, either that his son has gone abroad or that he has suffered in his affairs, take care not to be overcome by the apparent evil, but discriminate and be ready to say, "What hurts this man is not this occurrence itself—for another man might not be hurt by it—but the view he chooses to take of it." As far as conversation goes, however, do not disdain to accommodate yourself to him and, if need be, to groan with him. Take heed, however, not to groan inwardly, too.

XVII

Remember that you are an actor in a drama of such sort as the Author chooses—if short, then in a short one; if long, then in a long one. If it be his pleasure that you should enact a poor man, or a cripple, or a ruler, or a private citizen, see that you act it well. For this is your business—to act well the given part, but to choose it belongs to another.

XVIII

When a raven happens to croak unluckily, be not overcome by appearances, but discriminate and say, "Nothing is portended to *me*, either to my paltry body, or property, or reputation, or children, or wife. But to *me* all portents are lucky if I will. For whatsoever happens, it belongs to me to derive advantage therefrom."

XIX

You can be unconquerable if you enter into no combat in which it is not in your own power to conquer. When, therefore, you see anyone eminent in honors or power, or in high esteem on any other account, take heed not to be bewildered by appearances and to pronounce him happy; for if the essence of good consists in things within our own power, there will be no room for envy or emulation. But, for your part, do not desire to be a general, or a senator, or a consul, but to be free; and the only way to this is a disregard of things which lie not within our own power.

XX

Remember that it is not he who gives abuse or blows, who affronts, but the view we take of these things as insulting. When, therefore, anyone provokes you, be assured that it is your own opinion which provokes you. Try, therefore, in the first place, not to be bewildered by appearances. For if you once gain time and respite, you will more easily command yourself.

XXI

Let death and exile, and all other things which appear terrible, be daily before your eyes, but death chiefly; and you will never entertain an abject thought, nor too eagerly covet anything.

XXII

If you have an earnest desire toward philosophy, prepare yourself from the very first to have the multitude laugh and sneer, and say, "He is returned to us a philosopher all at once"; and, "Whence this supercilious look?" Now, for your part, do not have a supercilious look indeed, but keep steadily to those things which appear best to you, as one appointed by God to this particular station. For remember that, if you are persistent, those very persons who at first ridiculed will afterwards admire you. But if you are conquered by them, you will incur a double ridicule.

XXIII

If you ever happen to turn your attention to externals, for the pleasure of anyone, be assured that you have ruined your scheme of life. Be content, then, in everything, with being a philosopher; and if you wish to seem so likewise to anyone, appear so to yourself, and it will suffice you.

XXIV

Let not such considerations as these distress you: "I shall live in discredit and be nobody anywhere." For if discredit be an evil, you can no more be involved in evil through another than in baseness. Is it any business of yours, then, to get power or to be admitted to an entertainment? By no means. How then, after all, is this discredit? And how it is true that you will be nobody anywhere when you ought to be somebody in those things only which are within your own power, in which you may be of the greatest consequence? "But my friends will be unassisted." What do you mean by "unassisted"? They will not have money from you, nor will you make them Roman citizens. Who told you, then, that these are among the things within our own power, and not rather the affairs of others? And who can give to another the things which he himself has not? "Well, but get them, then, that we too may have a share." If I can get them with the preservation of my own honor and fidelity and self-respect, show me the way and I will get them; but if you require me to lose my own proper good, that you may gain what is no good, consider how unreasonable and foolish you are. Besides, which would you rather have, a sum of money or a faithful and honorable friend? Rather assist me, then, to gain this character than require me to do those things by which I may lose it. Well, but my country, say you, as far as depends upon me, will be unassisted. Here, again, what assistance is this you mean? It will not have porticos nor baths of your providing? And what signifies that? Why, neither does a smith provide it with shoes, nor a shoemaker with arms. It is enough if everyone fully performs his own proper business. And were you to supply it with another faithful and honorable citizen, would not he be of use to it? Yes. Therefore neither are you yourself useless to it. "What place, then," say you, "shall I hold in the state?" Whatever you can hold with the preservation of your fidelity and honor. But if, by desiring to be useful to that, you lose these, how can you serve your country when you have become faithless and shameless?

XXV

Is anyone preferred before you at an entertainment, or in courtesies, or in confidential intercourse? If these things are good, you ought to rejoice that he has them; and if they are evil, do not be grieved that you have them not. And remember that you cannot be permitted to rival others in externals without using the same means to obtain them. For how can he who will not haunt the door of any man, will not attend him, will not praise him, have an equal share with him who does these things? You are unjust, then, and unreasonable if you are unwilling to pay the price for which these things are sold, and would have them for nothing. For how much are lettuces sold? An obulus, for instance. If another, then, paying an obulus, takes the lettuces, and you, not paying it, go without them, do not imagine that he has gained any advantage over you. For as he has the lettuces, so you have the obulus which you did not give. So, in the present case, you have not been invited to such a person's entertainment because you have not paid him the price for which a supper is sold. It is sold for praise; it is sold for attendance. Give him, then, the value if it be for your advantage. But if you would at the same time not pay the one, and yet receive the other, you are unreasonable and foolish. Have you nothing, then, in place of the supper? Yes, indeed, you have—not to praise him whom you do not like to praise; not to bear the insolence of his lackeys.

XXVI

The will of nature may be learned from things upon which we are all agreed. As when our neighbor's boy has broken a cup, or the like, we are ready at once to say, "These are casualties that will happen"; be assured, then, that when your own cup is likewise broken, you ought to be affected just as when another's cup was broken. Now apply this to greater things. Is the child or wife of another dead? There is no one who would not say, "This is an accident of mortality." But if anyone's own child happens to die, it is immediately, "Alas! how wretched am I!" It should be always remembered how we are affected on hearing the same thing concerning others.

XXVII

As a mark is not set up for the sake of missing the aim, so neither does the nature of evil exist in the world.

XXVIII

If a person had delivered up your body to some passer-by, you would certainly be angry. And do you feel no shame in delivering up your own mind to any reviler, to be disconcerted and confounded?

XXIX

In every affair consider what precedes and what follows, and then undertake it. Otherwise you will begin with spirit, indeed, careless of the consequences, and when these are developed, you will shamefully desist. "I would conquer at the Olympic Games." But consider what precedes and what follows, and then, if it be for your advantage, engage in the affair. You must conform to rules, submit to a diet, refrain from dainties; exercise your body, whether you choose it or not, at a stated hour, in heat and cold; you must drink no cold water, and sometimes no wine—in a word, you must give yourself up to your trainer as to a physician. Then, in the combat, you may be thrown into a ditch, dislocate your arm, turn your ankle, swallow an abundance of dust, receive stripes [for negligence], and, after all, lose the victory. When you have reckoned up all this, if your inclination still holds, set about the combat. Otherwise, take notice, you will behave like children who sometimes play wrestlers, sometimes gladiators, sometimes blow a trumpet, and sometimes act a tragedy, when they happen to have seen and admired these shows. Thus you too will be at one time a wrestler, and another a gladiator; now a philosopher, now an orator; but nothing in earnest. Like an ape you mimic all you see, and one thing after another is sure to please you, but is out of favor as soon as it becomes familiar. For you have never entered upon anything considerately; nor after having surveyed and tested the whole matter, but carelessly, and with a halfway zeal. Thus some, when they have seen a philosopher and heard a man speaking like Euphrates—though, indeed, who can speak like him?—have a mind to be philosophers, too. Consider first, man, what the matter is, and what your own nature is able to bear. If you would be a wrestler, consider your shoulders, your back, your thighs; for different persons are made for different things. Do you think that you can act as you do and be a philosopher, that you can eat, drink, be angry, be discontented, as you are now? You must watch, you must labor, you must get the better of certain appetites, must quit your acquaintances, be despised by your servant, be laughed at by those you meet; come off worse than others in everything—in offices, in honors, before tribunals. When you have fully considered all these things, approach, if you please—that is, if, by parting with them, you have a mind to purchase serenity, freedom, and tranquillity. If not, do not come hither; do not, like children, be now a philosopher, then a publican, then an orator, and then one of Caesar's officers. These things are not consistent. You must be one man, either good or bad. You must cultivate either your own reason or else externals; apply yourself either to things within or without you—that is, be either a philosopher or one of the mob.

XXX

Duties are universally measured by relations. Is a certain man your father? In this are implied taking care of him, submitting to him in all things, patiently receiving his reproaches, his correction. But he is a bad father. Is your natural tie, then, to a *good* father? No, but to a father. Is a brother unjust? Well, preserve your own just relation toward him. Consider not what *he* does, but what *you* are to do to keep your own will in a state conformable to nature, for another cannot hurt you unless you please. You will then be hurt when you consent to be hurt. In this manner, therefore, if you accustom yourself to contemplate the relations of neighbor, citizen, commander, you can deduce from each the corresponding duties.

XXXI

Be assured that the essence of piety toward the gods lies in this—to form right opinions concerning them, as existing and as governing the universe justly and well. And fix yourself in this resolution, to obey them, and yield to them, and willingly follow them amidst all events, as being ruled by the most perfect wisdom. For thus you will never find fault with the gods, nor accuse them of neglecting you. And it is not possible for this to be affected in any other way than by withdrawing yourself from things which are not within our own power, and by making good or evil to consist only in those which are. For if you suppose any other things to be either good or evil, it is inevitable that, when you are disappointed of what you wish or incur what you would avoid, you should reproach and blame their authors. For every creature is naturally formed to flee and abhor things that appear hurtful and that which causes them; and to pursue and admire those which appear beneficial and that which causes them. It is impracticable, then, that one who supposes himself to be hurt should rejoice in the person who, as he thinks, hurts him, just as it is impossible to rejoice in the hurt itself. Hence, also, a father is reviled by his son when he does not impart the things which seem to be good; and this made Polynices and Eteocles mutually enemies—that empire seemed good to both. On this account the husbandman reviles the gods; [and so do] the sailor, the merchant, or those who have lost wife or child. For where our interest is, there, too, is piety directed. So that whoever is careful to regulate his desires and aversions as he ought is thus made careful of piety likewise. But it also becomes incumbent on everyone to offer libations and sacrifices and first fruits, according to the customs of his country, purely, and not heedlessly nor negligently; not avariciously, nor yet extravagantly.

XXXII

When you have recourse to divination, remember that you know not what the event will be, and you come to learn it of the diviner; but of what nature it is you knew before coming; at least, if you are of philosophic mind. For if it is among the things not within our own power, it can by no means be either good or evil. Do not, therefore, bring with you to the diviner either desire or aversion—else you will approach him trembling—but first clearly understand that every event is indifferent and nothing to *you*, of whatever sort it may be; for it will be in your power to make a right use of it, and this no one can hinder. Then come with confidence to the gods as your counselors; and afterwards, when any counsel is given you, remember what counselors you have assumed, and whose advice you will neglect if you disobey. Come to divination as Socrates prescribed, in cases of which the whole consideration relates to the event, and in which no opportunities are afforded by reason or any other art to discover the matter in view. When, therefore, it is our duty to share the danger of a friend or of our country, we ought not to consult the oracle as to whether we shall share it with them or not. For though the diviner should forewarn you that the auspices are unfavorable, this means no more than that either death or mutilation or exile is portended. But we have reason within us; and it directs us, even with these hazards, to stand by our friend and our country. Attend, therefore, to the greater diviner, the Pythian God, who once cast out of the temple him who neglected to save his friend.

XXXIII

Begin by prescribing to yourself some character and demeanor, such as you may preserve both alone and in company.

Be mostly silent, or speak merely what is needful, and in few words. We may, however, enter sparingly into discourse sometimes, when occasion calls for it; but let it not run on any of the common subjects, as gladiators, or horse races, or athletic champions, or food, or drink—the vulgar topics of conversation—and especially not on men, so as either to blame, or praise, or make comparisons. If you are able, then, by your own conversation, bring over that of your company to proper subjects; but if you happen to find yourself among strangers, be silent.

Let not your laughter be loud, frequent, or abundant.

Avoid taking oaths, if possible, altogether; at any rate, so far as you are able.

Avoid public and vulgar entertainments; but if ever an occasion calls you to them, keep your attention upon the stretch, that you may not imperceptibly slide into vulgarity. For be assured that if a person be ever so pure himself, yet, if his companion be corrupted, he who converses with him will be corrupted likewise.

Provide things relating to the body no further than absolute need requires, as meat, drink, clothing, house, retinue. But cut off everything that looks toward show and luxury.

Before marriage guard yourself with all your ability from unlawful intercourse with women; yet be not uncharitable or severe to those who are led into this, nor boast frequently that you yourself do otherwise.

If anyone tells you that a certain person speaks ill of you, do not make excuses about what is said of you, but answer: "He was ignorant of my other faults, else he would not have mentioned these alone."

It is not necessary for you to appear often at public spectacles; but if ever there is a proper occasion for you to be there, do not appear more solicitous for any other than for yourself—that is, wish things to be only just as they are, and only the best man to win; for thus nothing will go against you. But abstain entirely from acclamations and derision and violent emotions. And when you come away, do not discourse a great deal on what has passed and what contributes nothing to your own amendment. For it would appear by such discourse that you were dazzled by the show.

Be not prompt or ready to attend private recitations; but if you do attend, preserve your gravity and dignity, and yet avoid making yourself disagreeable.

When you are going to confer with anyone, and especially with one who seems your superior, represent to yourself how Socrates or Zeno would behave in such a case, and you will not be at a loss to meet properly whatever may occur.

When you are going before anyone in power, fancy to yourself that you may not find him at home, that you may be shut out, that the doors may not be opened to you, that he may not notice you. If, with all this, it be your duty to go, bear what happens and never say to yourself, "It was not worth so much"; for this is vulgar, and like a man bewildered by externals.

In company, avoid a frequent and excessive mention of your own actions and dangers. For however agreeable it may be to yourself to allude to the risks you have run, it is not equally agreeable to others to hear your adventures. Avoid likewise an endeavor to excite laughter, for this may readily slide you into vulgarity, and, besides, may be apt to lower you in the esteem of your acquaintance. Approaches to indecent discourse are likewise dangerous. Therefore, when anything of this sort happens, use the first fit opportunity to rebuke him who makes advances that way, or, at least, by silence and blushing and a serious look show yourself to be displeased by such talk.

XXXIV

If you are dazzled by the semblance of any promised pleasure, guard yourself against being bewildered by it; but let the affair wait your leisure, and procure yourself some delay. Then bring to your mind both points of time—that in which you shall enjoy the pleasure, and that in which you will repent and reproach yourself, after you have enjoyed it—and set before you, in opposition to these, how you will rejoice and applaud yourself if you abstain. And even though it should appear to you a seasonable gratification, take heed that its enticements and allurements and seductions may not subdue you, but set in opposition to this how much better it is to be conscious of having gained so great a victory.

XXXV

When you do anything from a clear judgment that it ought to be done, never shrink from being seen to do it, even though the world should misunderstand it; for if you are not acting rightly, shun the action itself; if you are, why fear those who wrongly censure you?

XXXVI

As the proposition, "either it is day or it is night," has much force in a disjunctive argument, but none at all in a conjunctive one, so, at a feast, to choose the largest share is very suitable to the bodily appetite, but utterly inconsistent with the social spirit of the entertainment. Remember, then, when you eat with another, not only the value to the body of those things which are set before you, but also the value of proper courtesy toward your host.

XXXVII

If you have assumed any character beyond your strength, you have both demeaned yourself ill in that and quitted one which you might have supported.

XXXVIII

As in walking you take care not to tread upon a nail, or turn your foot, so likewise take care not to hurt the ruling faculty of your mind. And if we were to guard against this in every action, we should enter upon action more safely.

XXXIX

The body is to everyone the proper measure of its possessions, as the foot is of the shoe. If, therefore, you stop at this, you will keep the measure; but if you move beyond it, you must necessarily be carried forward, as down a precipice; as in the case of a shoe, if you go beyond its fitness to the foot, it comes first to be gilded, then purple, and then studded with jewels. For to that which once exceeds the fit measure there is no bound.

XL

Women from fourteen years old are flattered by men with the title of mistresses. Therefore, perceiving that they are regarded only as qualified to give men pleasure, they begin to adorn themselves, and in that to place all their hopes. It is worth while, therefore, to try that they may perceive themselves honored only so far as they appear beautiful in their demeanor and modestly virtuous.

XLI

It is a mark of want of intellect to spend much time in things relating to the body, as to be immoderate in exercises, in eating and drinking, and in the discharge of other animal functions. These things should be done incidentally and our main strength be applied to our reason.

XLII

When any person does ill by you, or speaks ill of you, remember that he acts or speaks from an impression that it is right for him to do so. Now it is not possible that he should follow what appears right to you, but only what appears so to himself. Therefore, if he judges from false appearances, he is the person hurt, since he, too, is the person deceived. For if anyone takes a true proposition to be false, the proposition is not hurt, but only the man is deceived. Setting out, then, from these principles, you will meekly bear with a person who reviles you, for you will say upon every occasion, "It seemed so to him."

XLIII

Everything has two handles: one by which it may be borne, another by which it cannot. If your brother acts unjustly, do not lay hold on the affair by the handle of his injustice, for by that it cannot be borne, but rather by the opposite—that he is your brother, that he was brought up with you; and thus you will lay hold on it as it is to be borne.

XLIV

These reasonings have no logical connection: "I am richer than you, therefore I am your superior." "I am more eloquent than you, therefore I am your superior." The true logical connection is rather this: "I am richer than you, therefore my possessions must exceed yours." "I am more eloquent than you, therefore my style must surpass yours." But you, after all, consist neither in property nor in style.

XLV

Does anyone bathe hastily? Do not say that he does it ill, but hastily. Does anyone drink much wine? Do not say that he does ill, but that he drinks a great deal. For unless you perfectly understand his motives, how should you know if he acts ill? Thus you will not risk yielding to any appearances but such as you fully comprehend.

XLVI

Never proclaim yourself a philosopher, nor make much talk among the ignorant about your principles, but show them by actions. Thus, at an entertainment, do not discourse how people ought to eat, but eat as you ought. For remember that thus Socrates also universally avoided all ostentation. And when persons came to him and desired to be introduced by him to philosophers, he took them and introduced them; so well did he bear being overlooked. So if ever there should be among the ignorant any discussion of principles, be for the most part silent. For there is great danger in hastily throwing out what is undigested. And if anyone tells you that you know nothing, and you are not nettled at it, then you may be sure that you have really entered on your work. For sheep do not hastily throw up the grass to show the shepherds how much they have eaten, but, inwardly digesting their food, they produce it outwardly in wool and milk. Thus, therefore, do you not make an exhibition before the ignorant of your principles, but of the actions to which their digestion gives rise.

XLVII

When you have learned to nourish your body frugally, do not pique yourself upon it; nor, if you drink water, be saying upon every occasion, "I drink water." But first consider how much more frugal are the poor than we, and how much more patient of hardship. If at any time you would inure yourself by exercise to labor and privation, for your own sake and not for the public, do not attempt great feats; but when you are violently thirsty, just rinse your mouth with water, and tell nobody.

XLVIII

The condition and characteristic of a vulgar person is that he never looks for either help or harm from himself, but only from externals. The condition and characteristic of a philosopher is that he looks to himself for all help or harm. The marks of a proficient are that he censures no one, praises no one, blames no one, accuses no one; says nothing concerning himself as being anybody or knowing anything. When he is in any instance hindered or restrained, he accuses himself; and if he is praised, he smiles to himself at the person who praises him; and if he is censured, he makes no defense. But he goes about with the caution of a convalescent, careful of interference with anything that is doing well but not yet quite secure. He restrains desire; he transfers his aversion to those things only which thwart the proper use of our own will; he employs his energies moderately in all directions; if he appears stupid or ignorant, he does not care; and, in a word, he keeps watch over himself as over an enemy and one in ambush.

XLIX

When anyone shows himself vain on being able to understand and interpret the works of Chrysippus, say to yourself: "Unless Chrysippus had written obscurely, this person would have had nothing to be vain of. But what do I desire? To understand nature, and follow her. I ask, then, who interprets her; and hearing that Chrysippus does, I have recourse to him. I do not understand his writings. I seek, therefore, one to interpret *them*." So far there is nothing to value myself upon. And when I find an interpreter, what remains is to make use of his instructions. This alone is the valuable thing. But if

I admire merely the interpretation, what do I become more than a grammarian, instead of a philosopher, except, indeed, that instead of Homer I interpret Chrysippus? When anyone, therefore, desires me to read Chrysippus to him, I rather blush when I cannot exhibit actions that are harmonious and consonant with his discourse.

L

Whatever rules you have adopted, abide by them as laws, and as if you would be impious to transgress them; and do not regard what anyone says of you, for this, after all, is no concern of yours. How long, then, will you delay to demand of yourself the noblest improvements, and in no instance to transgress the judgments of reason? You have received the philosophic principles with which you ought to be conversant; and you have been conversant with them. For what other master, then, do you wait as an excuse for this delay in self-reformation? You are no longer a boy but a grown man. If, therefore, you will be negligent and slothful, and always add procrastination to procrastination, purpose to purpose, and fix day after day in which you will attend to yourself, you will insensibly continue to accomplish nothing and, living and dying, remain of vulgar mind. This instant, then, think yourself worthy of living as a man grown up and a proficient. Let whatever appears to be the best be to you an inviolable law. And if any instance of pain or pleasure, glory or disgrace, be set before you, remember that now is the combat, now the Olympiad comes on, nor can it be put off; and that by one failure and defeat honor may be lost or—won. Thus Socrates became perfect, improving himself by everything, following reason alone. And though you are not yet a Socrates, you ought, however, to live as one seeking to be a Socrates.

LI

The first and most necessary topic in philosophy is the practical application of principles, as, *We ought not to lie*; the second is that of demonstrations as, *Why it is that we ought not to lie*; the third, that which gives strength and logical connection to the other two, as, *Why this is a demonstration*. For what is demonstration? What is a consequence? What a contradiction? What truth? What falsehood? The third point is then necessary on account of the second; and the second on account of the first. But the most necessary, and that whereon we ought to rest, is the first. But we do just the contrary. For we spend all our time on the third point and employ all our diligence about that, and entirely neglect the first. Therefore, at the same time that we lie, we are very ready to show how it is demonstrated that lying is wrong.

Upon all occasions we ought to have these maxims ready at hand:

Conduct me, Zeus, and thou, O Destiny,
Wherever your decrees have fixed my lot.

EPICTETUS

I follow cheerfully; and, did I not,
Wicked and wretched, I must follow still.
Who'er yields properly to Fate is deemed
Wise among men, and knows the laws of Heaven.
And this third:
"O Crito, if it thus pleases the gods, thus let it be."

"Anytus and Melitus may kill me indeed; but hurt me they cannot."